MW01009549

Hope you enjoy this story about Jean Valjean

Farmer Nang and Jean Valjean

JVJ's hoof print ←

The Story of JEAN VALJEAN

The true story about a lamb and the farmer who saved him

Written by Nancy Reese
Illustrated by Philip A. D'Amore

La Historia de JEAN VALJEAN

La verdadera historia de un cordero y la granjera que lo salvó

Escrito por Nancy Reese
Ilustrado por Phillip A. D'Amore

The Story of Jean Valjean

The true story about a lamb and the farmer who saved him

Written by Nancy Reese

Illustrated by Philip A. D'Amore
www.damoreartistry.com

Editor: Marla McKenna

Spanish translation by: Edwin Aparicio

Proofreader (English): Lyda Rose Haerle

Proofreader (Spanish): Sarah Wehmeier de Aparicio

Layout: Michael Nicloy, Philip A. D'Amore

ISBN-13: 978-1-945907-83-8

Published by
Nico 11 Publishing & Design
Mukwonago, Wisconsin
www.nico11publishing.com

Quantity orders may be placed with the publisher via email:
mike@nico11publishing.com

Printed in The United States of America

Upcoming books in the "Farmer Nancy" series:
The Story of Stella and Stanley and *Miss Duck and Chuck*

This book is dedicated to my great-nephew,
Nolan, who always called Jean Valjean
"Bon Jon Jon."

Este libro está dedicado a mi sobrino nieto
Nolan, a quien siempre llamó Jean Valjean
"Bon Jon Jon".

It was a cold and blustery day in March of 2013. Farmer Jim went outside to feed the sheep. The sheep didn't mind this weather because they still had their warm, woolen coats on. But Farmer Jim was worried.

This was the time of the year when the ewes* started lambing.** And with this cold weather, that could cause problems for the little lambs.

*ewe - a mother sheep **lambing - when the baby lambs are born

Era un día frío y tempestuoso en marzo del 2013. El granjero Jim salió a alimentar a las ovejas. A las ovejas no les importaba el tiempo porque todavía llevaban puestos sus abrigos de lana. Pero el granjero Jim estaba preocupado.

Ésta era la época del año en que las ovejas * empezaban a parir. ** Y con este clima frío, eso podría causar problemas a los corderitos.

* oveja - la madre de los corderitos ** pariendo - cuando nacen los corderitos

Just the day before, one of the ewes had two lambs outside, but it wasn't nearly as cold as it was today. Farmer Nancy was inside the nice, warm barn playing with the two little lambs as they took turns drinking milk from their mother. The mother did not mind Farmer Nancy playing with her babies because they were good friends.

Justo el día anterior, una de las ovejas dio a luz a dos corderos afuera, pero no hacía tanto frío como hoy. La granjera Nancy estaba dentro del agradable y cálido establo jugando con los dos corderitos mientras se turnaban para beber la leche de su madre. A la madre no le importaba que la granjera Nancy jugara con sus bebés porque eran buenos amigos.

All of a sudden, Farmer Jim burst into the barn. “Nancy,” he shouted. “One of the ewes just had two lambs outside but one of them is dead. You’ve got to help me get the mother and the other lamb into a warm stall.”

De repente, el granjero Jim entró al establo. “Nancy”, gritó. “Una de las ovejas acaba de tener dos corderos afuera, pero uno de ellos está muerto. Tienes que ayudarme a llevar a la madre y al otro cordero a un establo cálido.”

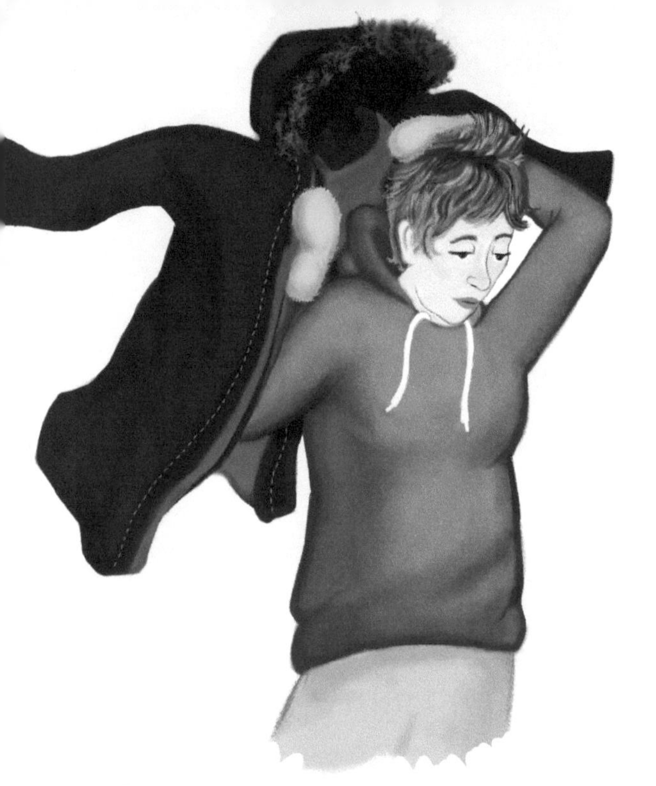

Farmer Nancy threw on her coat, hat, and gloves and followed him out to the pen.

La granjera Nancy se puso el abrigo, el sombrero y los guantes y lo siguió hasta el corral.

She saw the mother trying to lick off her newborn baby as the cold wind made the snow start freezing on the poor little wet lamb.

Vio a la madre tratando de lamer a su bebé recién nacido mientras el viento frío hacía que la nieve comenzará a congelarse sobre el pobre corderito mojado.

Farmer Jim scooped up the baby
and the mother followed them into the barn.

El granjero Jim recogió al bebé
y la madre los siguió hasta el establo.

BUT WAIT!!!!

¡¡¡¡PERO ESPERA!!!!

Farmer Nancy saw the other lamb that Farmer Jim said was dead.

La granjera Nancy vio el otro cordero que el granjero Jim dijo que estaba muerto.

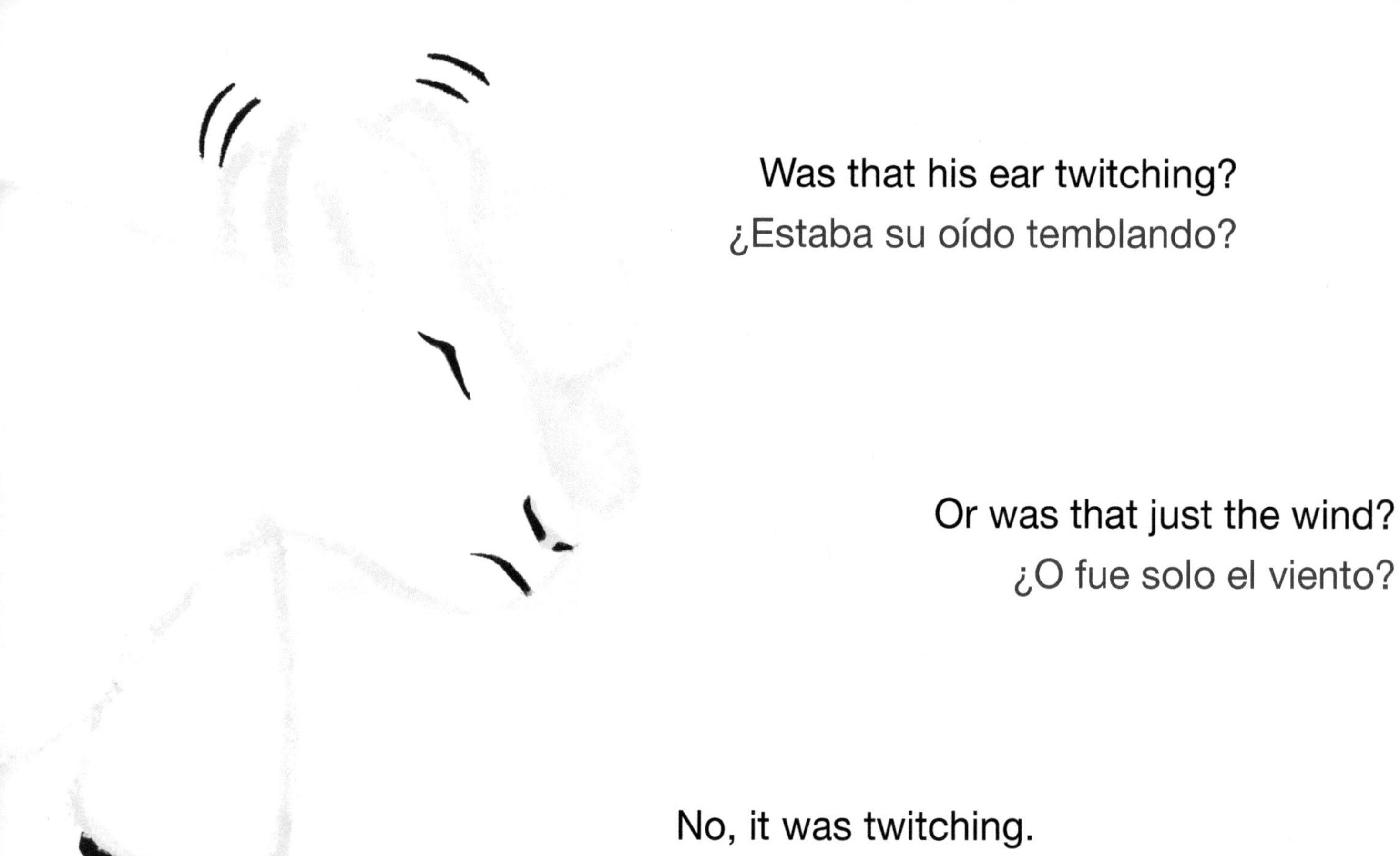

Was that his ear twitching?
¿Estaba su oído temblando?

Or was that just the wind?
¿O fue solo el viento?

No, it was twitching.
No, estaba temblando.

HE’S ALIVE!!!!

¡¡¡¡ESTÁ VIVO!!!!

Because the lamb was wet when he was born, he had frozen to the ground. Farmer Nancy had to very carefully pry his tiny little body from the icy surface. Then she took him into the nice warm barn where she placed him right on her bare stomach, underneath her sweatshirt, so she could warm him up with her own body heat.

Debido a que el cordero estaba mojado cuando nació, se había congelado hasta el suelo. La granjera Nancy tuvo que levantar con mucho cuidado su cuerpecito del suelo helado. Luego lo llevó al establo cálido y agradable donde lo colocó sobre su estómago desnudo, debajo de su sudadera para poder calentarlo con el calor de su propio cuerpo.

Farmer Nancy sat with him like that for FOUR HOURS! She started to feel him moving around more and more underneath her sweatshirt as the time went on.

Finally, Farmer Jim and Farmer Nancy thought it might be good to put him back with his mother to get some nice warm milk inside his tummy. His mother was so glad to see him, and she began licking her little lamb all over.

¡La granjera Nancy se sentó con él así durante CUATRO HORAS! Ella comenzó a sentir que él se movía más y más debajo de su sudadera a medida que pasaba el tiempo.

Finalmente, el granjero Jim y la granjera Nancy pensaron que sería bueno volver a ponerlo con su madre para que le diera un poco de leche tibia en el estómago. Su madre se alegró mucho de verlo y comenzó a lamer a su corderito por todas partes.

Farmer Jim and Farmer Nancy decided to call him Jean Valjean because he fought to stay alive like a character from a book and movie they both liked.

El granjero Jim y la granjera Nancy decidieron llamarlo Jean Valjean porque luchó por mantenerse con vida como un personaje de un libro y una película que a ambos les gustaba.

Farmer Nancy went home, thinking that Jean Valjean was going to be okay under the care of his real mother.

La granjera Nancy se fue a casa, pensando que Jean Valjean estaría bien bajo el cuidado de su verdadera madre.

A few minutes after Farmer Nancy got home, she got a call from Farmer Jim. “Nancy, you have to come and get this lamb. He is too weak to get up or drink any milk. If anyone can save this lamb, you can.”

Oh dear, thought Farmer Nancy. *What if I CAN’T save him?*

Unos minutos después de que la granjera Nancy llegara a casa, recibió una llamada del granjero Jim. “Nancy, tienes que venir a buscar este cordero. Está demasiado débil para levantarse o beber leche. Si alguien puede salvar este cordero, esa eres tú".

Dios mío, pensó la granjera Nancy. *¿Y si NO PUEDO salvarlo?*

So she quickly drove back to the barn, and brought Jean Valjean home with her.

Así que rápidamente regresó al establo y se llevó a Jean Valjean a su casa.

Back at her house, Farmer Nancy sat on the floor, holding Jean Valjean in her cozy kitchen by her wood-burning stove. She called another farmer friend, Farmer Mike, and asked him to bring over some special powdered milk made just for baby lambs. She heated it up and fed it to Jean Valjean with a bottle. When Farmer Nancy put her finger in his mouth, his poor little throat was filled with ice, but the warm milk helped to melt it.

De regreso a su casa, la granjera Nancy se sentó en el piso de su cocina, sosteniendo a Jean Valjean junto a su cálida estufa de leña. Llamó a otro amigo granjero, el granjero Mike, y le pidió que le trajera un poco de leche en polvo especial hecha solo para lechones. La calentó y se la dio a Jean Valjean con un biberón. Cuando la granjera Nancy llevó el dedo a la boca del corderito, su pobre garganta estaba llena de hielo, pero la leche tibia ayudó a derretirlo.

Soon, Jean Valjean became more alert and even tried out his new legs. He couldn't use the leg that was frozen to the ground when he was born. But the other three seemed to carry him around just fine.

Then it was bedtime.

Pronto, Jean Valjean puso más activo e incluso probó sus nuevas piernas. No podía usar la pierna que estaba congelada en el suelo cuando nació. Pero las otras tres parecían estar bien.

Entonces llegó la hora de dormir.

MAAAAAAAAAAAAAAA

Farmer Nancy put Jean Valjean in her laundry room with lots of blankets and a little stuffed goat puppet to keep him company.

Farmer Nancy said, “Night night, Jean Valjean.”

And then Jean Valjean cried out, “MAAAAAAAAAA......” in a most pathetic way.

Oh dear, thought Farmer Nancy. *I can’t leave him down here alone*.

So she put him in a box and took him upstairs to her bedroom, where she placed the box on the floor by her bed.

La granjera Nancy puso a Jean Valjean en su cuarto de la lavandería con muchas mantas y un títere de cabra de peluche para que le hiciera compañía.

La granjera Nancy dijo: "Buenas noches Jean Valjean".

Y luego Jean Valjean gritó, “MAAAAAAAAAA ......” de la manera más patética.

Dios mío, pensó la granjera Nancy. *No puedo dejarlo aquí solo*.

Así que lo metió en una caja, lo llevó arriba a su dormitorio y colocó la caja en el piso junto a su cama.

“Night night, Jean Valjean,” Farmer Nancy said.

“MAAAAAAAAA.......” said Jean Valjean.

Oh dear, thought Farmer Nancy. *I can’t leave him down there alone.*

So she picked him up, wrapped him in a towel, and brought him into bed with her, where he snuggled against her and fell fast asleep.

UNTIL...

"Buenas noches, Jean Valjean", dijo la granjera Nancy.

“MAAAAAAAAAA ....” dijo Jean Jean Valjean.

Dios mío, pensó la granjera Nancy. *No puedo dejarlo ahí abajo solo.*

Así que la granjera Nancy lo recogió, lo envolvió en una toalla, lo llevó a su cama y junto con ella se durmió profundamente.

HASTA...

9:50

....3 o'clock in the morning! Farmer Nancy was awakened by Jean Valjean jumping happily all over her in the bed.

Then he tinkled!

Oh dear, thought Farmer Nancy. But she was smiling because she knew Jean Valjean was going to be okay.

...a las 3 de la mañana! La granjera Nancy fue despertada por Jean Valjean saltando alegremente sobre ella en la cama.

Y después ¡había pipí en la cama!

Dios mío, pensó la granjera Nancy. Pero estaba sonriendo porque sabía que Jean Valjean iba a estar bien.

In the morning, they both came downstairs for breakfast. Farmer Nancy made Jean Valjean another bottle of warm milk, which he drank down greedily. He explored his new home, meeting the two rabbits who also lived in the house. But he never went far away from his new mother, Farmer Nancy. If he couldn't see her, he would call out, "MAAAAAAAA......." until Farmer Nancy came to rescue him.

En la mañana, ambos bajaron a desayunar. La granjera Nancy le preparó a Jean Valjean otra botella de leche tibia que bebió gozosamente. Exploró su nuevo hogar y conoció a los dos conejos que también vivían en la casa. Pero nunca se alejaba mucho de su nueva madre, la granjera Nancy. Si él no podía verla, gritaba: "MAAAAAAAAAA ......" hasta que la granjera Nancy llegaba a rescatarlo.

Jean Valjean continued to grow and get stronger every day, although he still could not stand on his left rear leg. That weekend, Farmer Nancy took Jean Valjean back to his sheep mother to see if she would accept him. But she took one sniff of him and butted him away. He already smelled like Farmer Nancy and the sheep's milk she was feeding him, and his sheep mother wanted nothing to do with him.

That's okay, thought Farmer Nancy. He was already calling her "MAAAAAAAAA….."

Jean Valjean siguió creciendo y fortaleciéndose cada día, aunque todavía no podía pararse sobre su pata trasera izquierda que se había congelado en el suelo. Ese fin de semana, la granjera Nancy llevó a Jean Valjean de regreso con su madre oveja para ver si ella lo aceptaba. Pero ella lo olió y lo golpeó. Ya olía como la granjera Nancy y como la leche de oveja que ella le estaba dando, su madre oveja no quería tener nada que ver con él.

Está bien, pensó la granjera Nancy. Él ya la estaba llamando "MAAAAAAAA"

It was fun having Jean Valjean in Farmer Nancy's house. He loved lying by the wood burning stove or cuddling with Farmer Nancy at night. He enjoyed the same TV shows that she did (*Dancing with the Stars* was one of his favorites), and he never hogged the remote control. But precisely at 9:30 PM, he would get up from their chair and put himself to bed in the laundry room. He didn't mind sleeping in the laundry room alone anymore because he knew he would see his "MAAAAAAA….." in the morning. Plus, he had his little stuffed goat puppet to sleep with.

Era divertido tener a Jean Valjean en la casa de la granjera Nancy. Le encantaba tumbarse junto a la estufa de leña y estar junto con la granjera Nancy por la noche. Disfrutaba de los mismos programas de televisión que ella (Bailando con las Estrellas era uno de sus favoritos) y nunca acaparaba el control remoto. Pero precisamente a las 9:30 PM, se levantaba de su silla y se iba a acostar a la lavandería. Ya no le importaba dormir solo en la lavandería porque sabía que vería a su "MAAAAAAAAAA ..." por la mañana. Además, tenía su pequeño títere de cabra de peluche para dormir.

Farmer Nancy continued to be amazed at the progress Jean Valjean made. But she knew he missed being with other lambs that he could play with. He would try to play and dance around with the two bunnies in the house. But they thought he was too big and were afraid he might step on them.

La granjera Nancy siguió asombrada por el progreso de Jean Valjean. Pero ella sabía que él extrañaba estar con otros corderos con los que podía jugar. Intentaba jugar y bailar con los dos conejitos de la casa. Pero los dos conejitos pensaban que él era demasiado grande y temían que pudiera pisarlos.

When the weather got warmer, Famer Nancy took Jean Valjean outside, where he loved munching on the fresh grass that was growing in the yard. He also met the other animals on the farm. Farmer Nancy had four goats, and lots of chickens and ducks. They would investigate each other through the pasture fence.

Cuando el clima se puso más cálido, la granjera Nancy llevó a Jean Valjean afuera, le encantaba masticar la hierba fresca que crecía en el jardín. También conoció a los otros animales de la granja. La granjera Nancy tenía cuatro cabras y muchas gallinas y patos. Se conocerán a través de la cerca del pasto.

MAAAAAAA!
-TOOT

Farmer Nancy thought it was time for Jean Valjean to start living with the other animals outside like he is supposed to do, instead of living in a house with a human and two rabbits. So she put him in the pasture with the other animals under her watchful eye.

The goats were curious, but as goats will do, they began butting Jean Valjean in the head, which goats do when they are playing. Jean Valjean was shocked at this new game. He did not like it at all.

He called out, "MAAAAAAAA….." and his Ma, Farmer Nancy, came to his rescue.

La granjera Nancy pensó que era hora de que Jean Valjean comenzara a vivir con los otros animales afuera como se suponía que debía hacer en lugar de vivir en una casa con un humano y dos conejos. Así que lo puso en el pasto con los demás animales bajo su atenta mirada.

Las cabras tenían curiosidad y hicieron lo que ellas hacen cuando juegan, comenzaron a golpear a Jean Valjean en la cabeza. Jean Valjean se sorprendió con este nuevo juego. No le gustó nada.

Gritó, "MAAAAAAAAA… .." y su madre, la granjera Nancy, vino a su rescate.

Farmer Nancy thought, if she got Jean Valjean another lamb to play with, maybe he would like it outside. So she got another lamb from Farmer Wendy, but Jean Valjean was terrified of this new little creature.

One night, when Farmer Nancy came home, it was raining. All of the other animals were safe and dry inside the barn.

But poor Jean Valjean was too afraid to go inside the barn, and was standing outside in the rain. "MAAAAAAAAA......" he called when she got home.

So Farmer Nancy took Jean Valjean back inside the house and dried him off and let him sleep in his old laundry room.

La granjera Nancy pensó, si le consiguiera a Jean Valjean otro cordero con el que pueda jugar, tal vez le gustaría estar afuera. Así que consiguió otro corderito de la granjera Wendy, pero Jean Valjean estaba aterrorizado por esta nueva criatura.

Una noche, cuando la granjera Nancy llegó tarde a casa, estaba lloviendo. Todos los demás animales estaban seguros y secos dentro del establo.

Pero el pobre Jean Valjean tenía demasiado miedo de entrar al establo, y estaba parado afuera bajo la lluvia. "MAAAAAAAAAA ......" dijo cuando ella llegó a casa.

Así que la granjera Nancy llevó a Jean Valjean de regreso a la casa, lo secó y lo dejó dormir en su vieja lavandería.

Now Farmer Nancy really had a problem. Jean Valjean did not like Marius, the new little lamb she got for him. And Marius was lonely for another little lamb to play with.

Ahora la granjera Nancy realmente tenía un problema. A Jean Valjean no le gustaba Marius, el nuevo corderito que le había regalado. Marius estaba solo porque no había otro corderito con quien jugar.

So Farmer Nancy decided to get yet ANOTHER lamb for Marius to play with. She named him Gavroche. Marius and Gavroche got along beautifully and managed to avoid the head-butting of their goat siblings

Así que la granjera Nancy decidió conseguir OTRO cordero para que Marius jugara con él. Ella lo llamó Gavroche. Marius y Gavroche se llevaban muy bien y lograron evitar los cabezazos de sus hermanas cabras.

Farmer Nancy had to go away for a weekend and asked Farmer Wendy to take care of her animals. Farmer Wendy raised sheep with her mother and sister. That is the farm where Marius came from.

La granjera Nancy tuvo que irse un fin de semana y le pidió a la granjera Wendy que cuidara de sus animales. La granjera Wendy criaba ovejas con su madre y su hermana. Esa es la granja de donde vino Marius.

Farmer Wendy felt confident that she could get Jean Valjean to not be afraid of the other lambs and eventually to get along with the goats as well.

La granjera Wendy confiaba en que podría lograr que Jean Valjean no le tuviera miedo a los otros corderos y que se llevara bien con las cabras.

When Farmer Nancy came home, all of the animals were at peace with each other. Farmer Wendy never said how she did it. It was her "special secret."

Cuando la granjera Nancy llegó a casa, todos los animales estaban en paz entre ellos. La granjera Wendy nunca dijo cómo lo hizo. Era su "secreto especial".

From then on, Jean Valjean got along with all of the animals on the farm. He even got the use of his injured left rear leg. He still is shy with the other animals and always wants to come back in the house with Farmer Nancy, but he is happy and content being an outside sheep.

A partir de entonces, Jean Valjean se llevó bien con todos los animales de la granja. Incluso pudo caminar sobre su pierna trasera izquierda lesionada. Jean Valjean todavía es tímido con los otros animales y siempre quiere volver a la casa con la granjera Nancy. Pero está feliz y contento de ser una oveja de afuera.

Jean Valjean continues to live at Farmer Nancy's farm with Marius and Gavroche and five goats—Samson, Nickers, Jack, Jill, and George; the turkey, Cool Hand Luke; and the other chickens and ducks.

Jean Valjean sigue viviendo en la granja de la granjera Nancy con Marius y Gavroche, las ovejas, cinco cabras; Samson, Nickers, George, Jack y Jill, Cool Hand Luke, el pavo y las otras gallinas y patos.

He will even stand up for himself and butt back the goats when they play butt him.

El se defenderá a sí mismo y atacará a las cabras cuando jueguen contra él.

Facts about sheep

Jean Valjean is a Merino sheep. Merino sheep are valued for their very fine wool. It takes 8 Merino sheep fibers to equal one human hair fiber. Products made from their wool are very expensive.

Sheep must be sheared once a year, usually in the spring. Their wool is then cleaned and turned into yarn or thread to be made into knitted products or wool material.

Sheep are the only providers of lanolin, which is used in many beauty products.

Sheep are not killed to obtain their wool or the lanolin. They need to be sheared to maintain their comfort in the summer. The lanolin is retrieved by boiling the raw wool and collecting the lanolin once the wool is removed.

The lanolin in sheep wool allows them to repel water when they are outside.

Sheep are very shy and timid. Hence, we use the term "sheepish" if someone is shy and timid.

Sheep do not have teeth in the front on top. They use their bottom teeth to rip off the grass and then use their back teeth to chew.

Sheep are called "ruminants" which means they have four stomachs, like goats and cows.

The pupils in sheep eyes are rectangles. This is because they were originally raised in the mountains where the sun is very bright. Their pupils evolved into rectangles to allow them to let light in without closing their eyes to protect them.

Información sobre las ovejas

Jean Valjean es una oveja merina. Las ovejas merinas son apreciadas por su lana muy fina. Se necesitan 8 fibras de oveja merina para igualar una fibra de cabello humano. Los productos hechos con su lana son muy caros.

Las ovejas son los únicos proveedores de lanolina, que se utiliza en muchos productos de belleza.

Las ovejas deben ser esquiladas(cortarles el pelo) una vez al año, generalmente en primavera. Luego, su lana se limpia y se convierte en hilo o hilo para hacer productos de tejido o material de lana.

No se matan ovejas para obtener su lana o la lanolina. Deben ser esquiladas para mantener su comodidad en el verano. La lanolina se recupera hirviendo la lana y quitándola de la parte superior de la tina.

La lanolina de la lana de oveja les permite ser resistentes al agua cuando están afuera.

Las ovejas son muy tímidas. Por lo tanto, usamos el término "avergonzado" si alguien es tímido.

Las ovejas no tienen dientes en la parte superior delantera. Usan sus dientes inferiores para arrancar la hierba y luego usan sus dientes posteriores para masticar.

Las ovejas se llaman “rumiantes”, lo que significa que tienen cuatro estómagos, como cabras y vacas.

Las pupilas de los ojos de las ovejas son rectángulos. Esto se debe a que originalmente se criaron en las montañas donde el sol es muy brillante. Sus pupilas se convirtieron en rectángulos para permitirles dejar entrar la luz sin cerrar los ojos para protegerlos.

Jean Valjean trying out his new legs in the kitchen.

Jean Valjean probando sus nuevas piernas en la cocina.

Jean Valjean being sweet.

Jean Valjean siendo dulce.

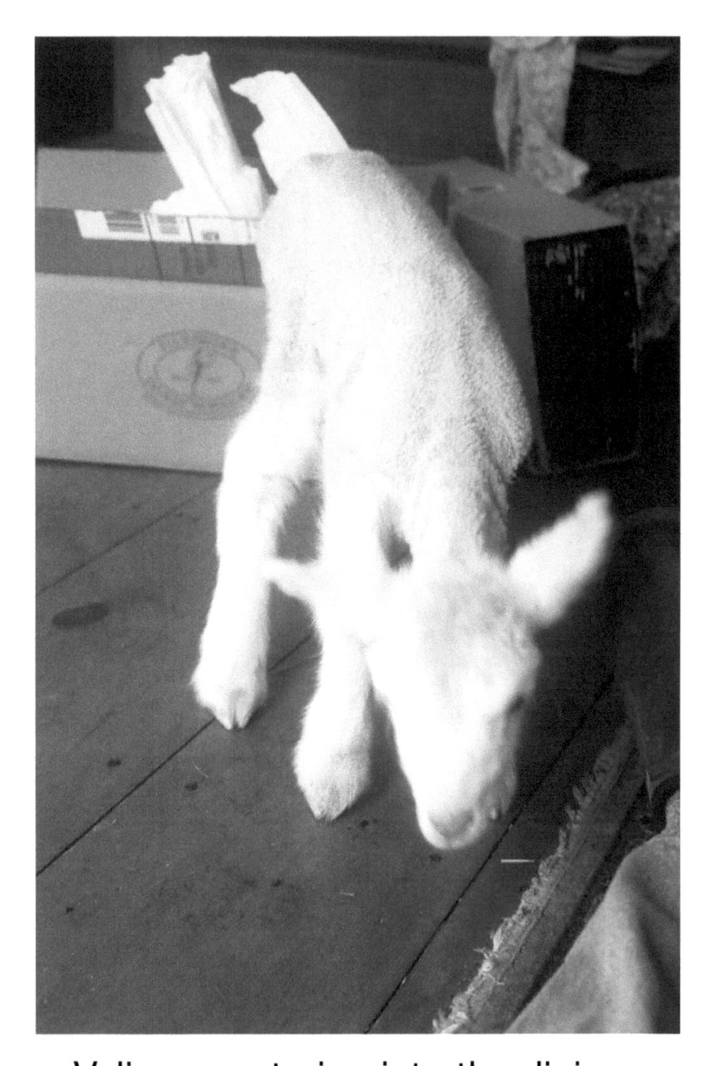

Jean Valjean venturing into the dining room.

Jean Valjean aventurandose en el comedor.

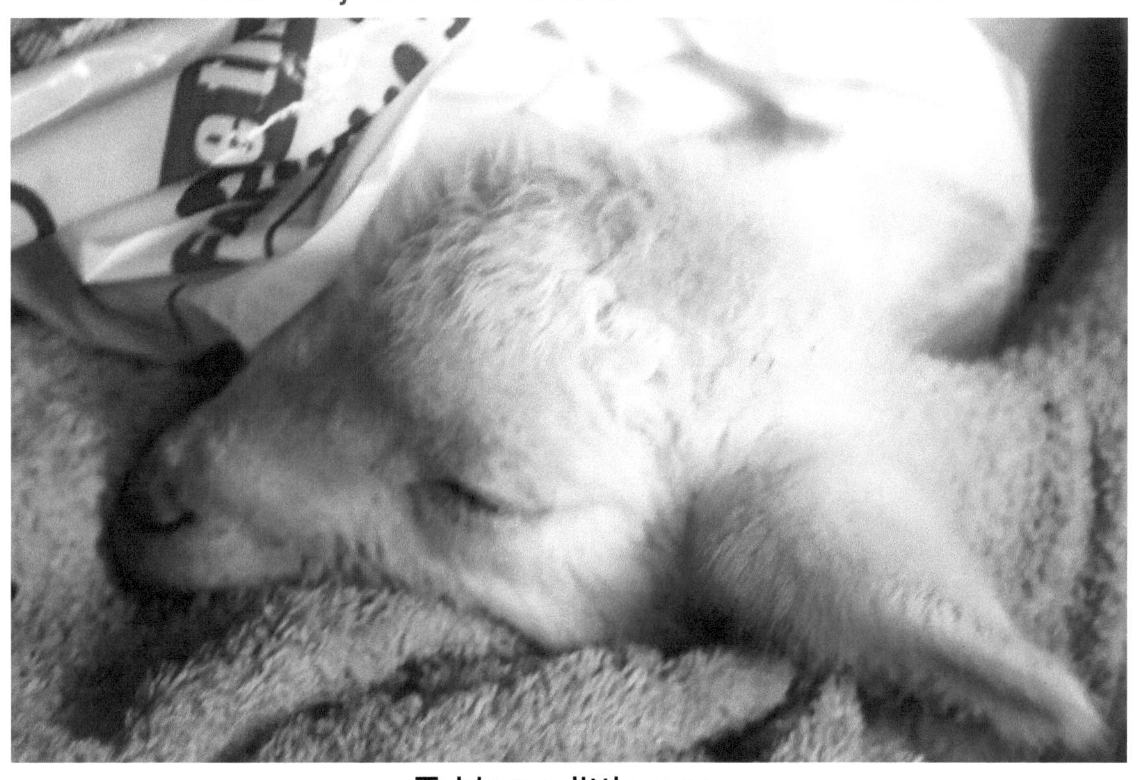

Taking a little nap.

Tomando una pequeña siesta.

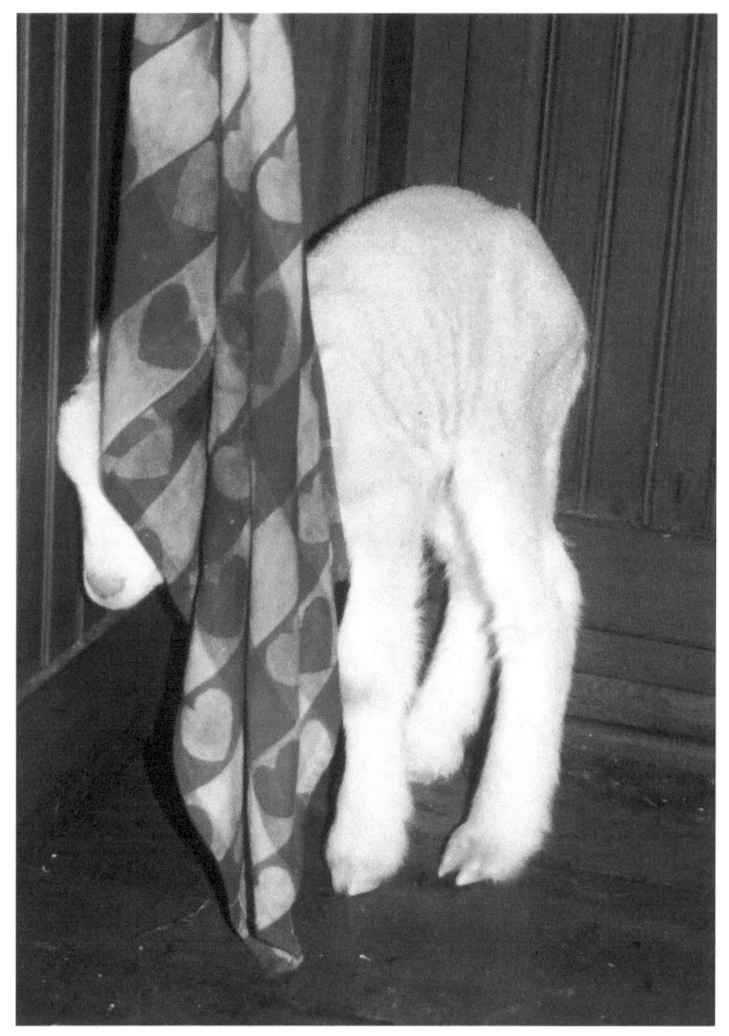

Playing “Peek-a-Boo” in the kitchen.

Jugando a las escondidas.

Snuggling with his toy goat puppet.

Acurrucándose con su títere de cabra de juguete.

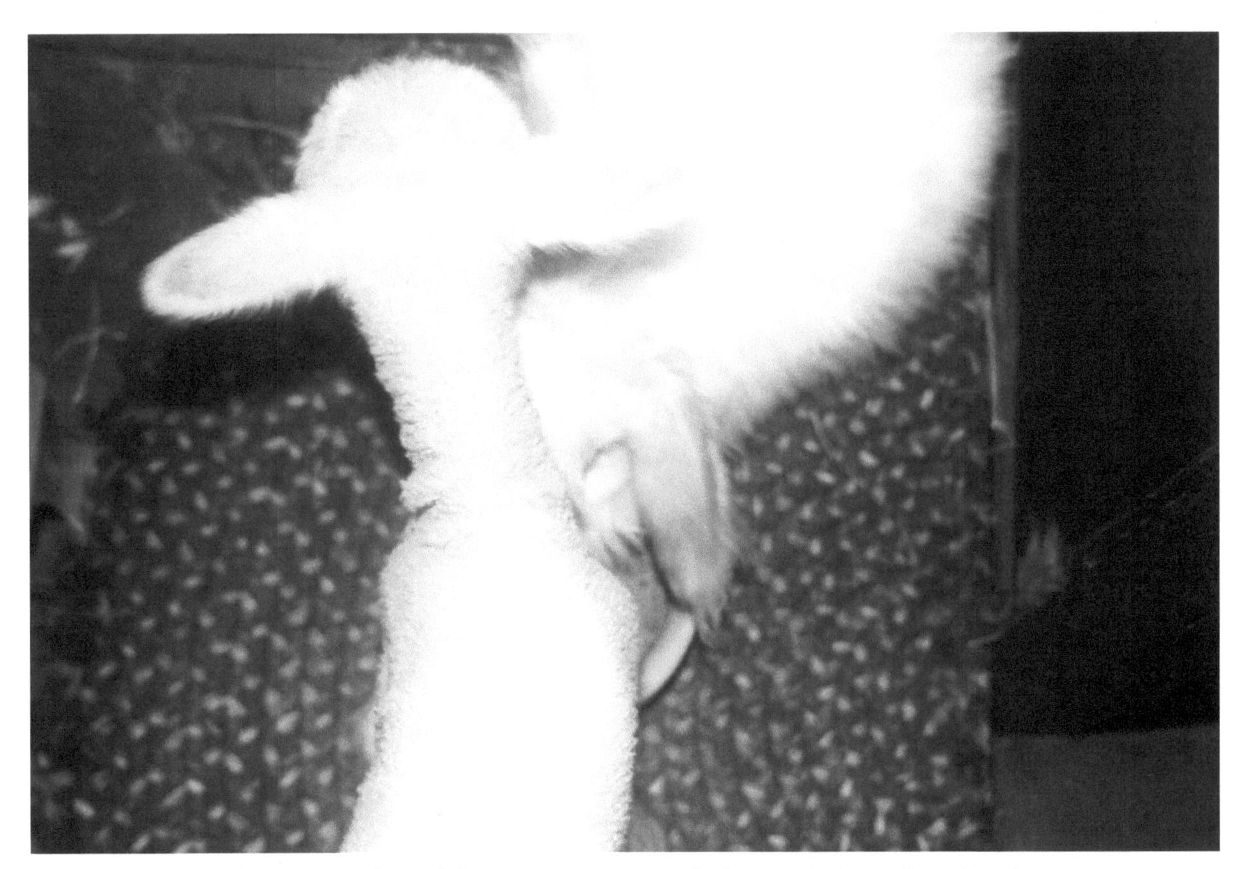

Jean Valjean checking out one of the rabbits in the house.
Jean Valjean observando a uno de los conejos de la casa.

Enjoying the warm sunshine in the kitchen.
Disfrutando del cálido sol en la cocina.

My favorite picture of Jean Valjean.

My foto favorite de Jean Valjean.

Jean Valjean's television debut on WTMJ Channel 4 in Milwaukee, Wisconsin, with Tom Murray, May 2013.

El debut televisivo de Jean Valjean en WTMJ Canal 4 de Milwaukee, Wisconsin, con Tom Murray, Mayo del 2013.

Farmer Nancy and Jean Valjean with Baby Marta and her Daddy, Edwin.
4th of July, 2013.

Jean Valjean and Baby Marta were both born the same week in March, 2013. Jean Valjean appears to be at the top of the growth curve.

La granjera Nancy y Jean Valjean con la bebé Marta y su papá, Edwin.
4 de Julio del 2013.

Jean Valjean y Baby Marta nacieron la misma semana de Marzo del 2013. Jean Valjean parece estar en la parte superior de su crecimiento.

Jean Valjean getting ready for his first “haircut,” Spring of 2014.

Jean Valjean preparándose para su primer “corte de pelo”, primavera del 2014

A waterfall of fleece.

Una cascada de lana

“Maaaaaa…are we done yet?”

“Maaaaaa ... ¿Ya terminamos?”

Farmer Wendy is the baa-baa at this outdoor “baa baa shop.”

La granjera Wendy es la baa-bera en esta “tienda baa baa” al aire libre.

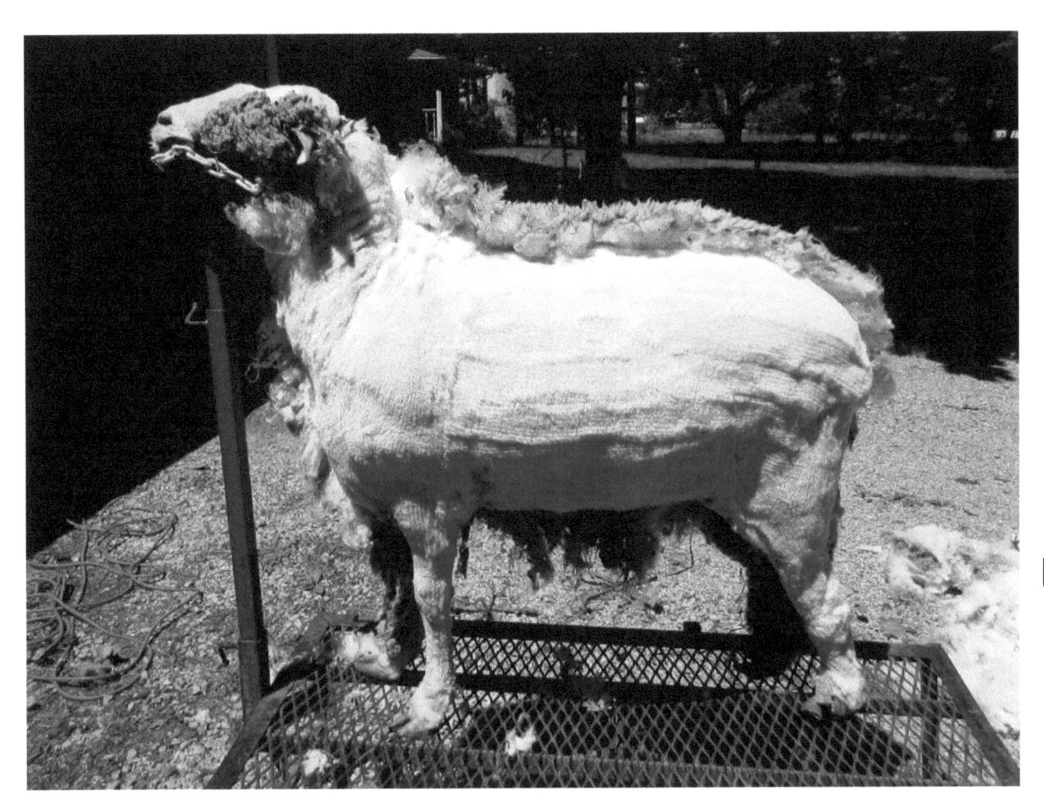

Halfway done.

A mitad de camino.

Jean Valjean,
Winter of 2020.

Jean Valjean,
invierno del 2020.

Jean Valjean's favorite song.
Farmer Nancy still sings this to him every night in the barn.

Nancy Reese

Nancy is a retired math and drama teacher and part-time farmer. At the time of this story, Nancy was working on the farm staff at Old World Wisconsin where Jean Valjean was born. Nancy lives in Dousman, Wisconsin, with her outdoor animals and two rabbits and three Chihuahuas in the house.

Philip A. D'Amore

Philip is a native of Milwaukee, Wisconsin, and is a graduate of Marquette University. He resides in Los Angeles, California, where he is a working artist, actor, and musician, and runs D'Amore Artistry.

CPSIA information can be obtained
at www.ICGtesting.com
Printed in the USA
BVHW020629300821
615391BV00001B/7